À la lisière du rêve

Max Renaud Lubin

À la lisière du rêve

Éditions Milot

© Éditions Milot - Paris - Max Renaud Lubin
ISBN : 9782493420091

C'est simple : pour empêcher un Haïtien de rêver, il faut l'abattre.

Dany Laferrière, Vers le sud

Préface

« L'encre exubérante d'une sensibilité désinvolte. » Ainsi Donel SAINT-JUSTE qualifie-t-il le style de Max Renaud.

Et pour cause, l'auteur livre ses émotions sans détour mais sur le fil de vers courts et cadencés, s'étirant en une trainée exiguë épousant les frontières que la pointe du stylo-plume imprime à l'encre. Mais par moments, les émotions font tache et c'est la prose poétique qui prend le dessus, comme dans des textes comme « *L'Angélus* » ou le poème en prose « *Je croyais qu'elle portait en elle la flamme sincère de l'innocence.* »

Cette dualité de la disposition du verbe fait écho à celle du style : l'éclatante limpidité des mots de tous les jours côtoie l'hermétisme d'un sens parfois évanescent ; comme si Max Renaud ne pouvait s'empêcher d'envelopper d'une sorte de pudeur poétique la vérité de sa nature. Et c'est donc par les mots du quotidien que l'œuvre fait entrer le lecteur dans un monde parfois énigmatique, voire impénétrable, difficile à saisir mais étrangement beau !

C'est au creux de cet entre-deux esthétique, entre peurs et actes manqués, entre souvenirs enfouis et foi en l'avenir, que le Poète ose, en bordure, broder l'amour comme ultime espérance, à la lisière du rêve !

Une poétique de la simplicité et du non-dit, incarnation de la complexité et de la profondeur même de la Beauté !

Pierre-Stanley PÉRONO

Je voudrais être un poète,
Pour t'écrire les plus beaux vers
Mais, je ne suis qu'un amoureux
Laisse-moi t'aimer !

***

Ma mulâtresse

N'entends-tu pas ce cri transperçant les ombres ?
Je le sens dans chacun de tes regards jetés sur moi
La persistance de ta voix
Les battements de mon cœur au rythme du tamtam
Tout s'accorde sur les notes féminines
De cette danse qu'on a dansée
De cette nuit qu'on a passée
Cette soirée !
Je ne l'oublierai jamais
Le silence de la danse
La chaleur de ton corps
Tout m'a plu et la pluie aussi
Le sang a coulé dans mes veines
Les pleurs et fleurs dans mon cœur
Est-ce donc ainsi,
Que cela finit ?
Si ton départ était pour aujourd'hui
Je serais la mascotte de ton escorte
Le sort est jeté
Je suis charmé par tes tresses
Ô ma mulâtresse !
Couleur de châtaigne brune
Odeur de café créole
Oh ! Mon colibri de duvet caramélé de cannelle
Tu as segmenté mon âme
En une singulière multitude d'atomes fins
Quoi ?
Défense d'y toucher

***

À celle de 4ème

Le jour levant de ta voix
Cela me plaît
La douceur de ta main dans la mienne
Cela me hante
Ton regard jetant le sort à mes pieds
Mon œil de guitare s'est terni
Mes lunettes ont perdu leur monture
Je vois en tes tresses
La détresse d'un amour en herbe
L'air tonique catalysant la corrosion d'un cœur amer
Une amitié de perdu
Un amour sec à défendre
Une soif inextinguible à étancher
Ma trachée artère bouffe mon larynx
Et la voix de ma main
Celle-ci a sombré
Il ne me reste que le silence

***

Perdu

Elle est partie
Ma mulâtresse
Bien loin
Très loin
Au pays du taureau rouge
Elle est partie
Pour ne pas me dire bonne fête
Pour se cacher de mes regards haïs d'amour
De ma voix trahie par mes mains
Je suis hanté
Je suis dépossédé de mes tresses
Mon colibri s'est envolé
L'amour a battu de l'aile
Sa voix a disparu dans l'air
À elle, la corrida
À moi le corridor
La réclusion de l'esprit poétique
Les vers avec sa sœur du paradis

***

L'une

Laisse-moi pénétrer ta chair
Qui m'est un peu plus douce
Mon âme est entre tes mains
Ô ma chère lune
Tu es le clair de l'éclair
Qui fait trompeter mes regards amadoués
Amante d'une nuit
Mon aimant pour la vie
Tu veux me faire oublier ma rose
Mais, donne-lui encore la chance
La dernière
Celle d'épouser le silence de la nuit
Transperçant les onduleux incestueux mouvements des vagues
La mer, mère des fantasmes
Assise à ce mariage symbiotique
Du poète et de l'éternité
Communément ainsi appelés
La lumière luit dans les yeux jaloux de Simbie
Macaya vient à moi
Maître Agwe célèbre ce chant de profundis
Papa Legba ouvre la barrière
Cette barrière renfermant ma paix
Ma destinée, je la tiens

Je la sonne, la frisonne, l'additionne
Viens à ma rencontre dans les chemins scandés
Apporte les premiers balbutiements
Pour le trône infini
Accorde-moi silence !

***

De maux en mots

Le monde est en maux
On doit le voir en mots
Eux seuls peuvent rétablir l'ordre
Et d'une manière univoque
Aspireront à une lueur de liberté
Eux qui donnent au prophète sa force
Eux qui affligent au poète sa gloire
Eux qui confèrent à la nuit sa clarté
Au jour le véritable silence-majesté
Le rêve !
Haut rêve !
De toi sortira le miroir fidèle de nos éloquences
La splendeur éblouissante de maux
Métamorphosés en douceur par les mots
Musicalement répartis sur la feuille
Car, ils ne sont point créés mais engendrés

***

Caramel

Je ne peux te voir
Là où tu es
Dans la clarté nébuleuse du soleil
La chaleur augmente et notre fin approche
Viens te joindre à mon silence
N'entends-tu pas ? Ne vois-tu pas ?
Cette voix qui te cherche à l'angle d'un regard
Un regard croisé des yeux parallèles
En circonscription sur une lune étoilée
Ne reçois-tu pas les infrasons de mon cœur familial
Ne me sont plus perceptibles,
Les infrarouges émis par ton corps
J'ai peur de te perdre à tout jamais
Un jamais qui sera plus long que l'éternité
L'infini ne pourra diluer mes blessures
Si seulement ta mère était là
Elle qui tapissa mon cœur d'un amour saint
La sagesse même dans les rires et les pleurs
Peut-être elle arriverait à placer la corde autour de ton cou
Tes pieds cherchant déjà le chemin de la mort
Je te promets la vie éternelle
Si tu crois en moi
Si tu reviens chez toi

***

Lui

Quand l'un parle de la famille
L'autre s'interroge sur l'apport de l'art au monde
Et encore, un autre au sujet de l'éducation
Cependant lui, il rêve
Il est en état transcendant
Sur son sort de surface sauvage
Il rêve d'arriver là où personne ne connaît
Il plonge dans la musicalité du silence assourdissant
Il rentre au fond des mots et n'en sort jamais
Ou sinon que lorsque ceux-ci s'éclatent
En lumière sur une braise de nuit
Il peut alors puiser à son goût de fraise fraîche
Fraîche est aussi la juxtaposition noirâtre des vers
Vers le rivage de sable inconnu
La peinture fine sur des syllabes teintées d'aurore
La grâce matinée au bord de la mer des Caraïbes
La couleur orientale de nos imaginaires
Il s'en nourrit
Non pas de leur sens mais d'eux-mêmes
Il les chasse, les poursuit, les construit
Leur donne vie ou mort selon sa seule volonté
Celle de créer l'increvable
Avec du sel et de l'eau

***

La folle

Elle est revenue
L'odeur du caramel se penche à nouveau
La rue émerveillée par son retour
La pluie à la chandelle danse encore une fois
Une de ces danses Nago, Congo, Yanvalou
Le silence des murmures agonisant l'angoisse
L'angoisse des grands-mères terrassant sur la terrasse
Alors que son père fondant dans un verre de clairin cru
Comme de la cire délaissée au soleil las
L'as de son cœur est roué à la folie
Celle d'une mère ayant aimé avec passion
Enlevée avec la mort
Stéphanie Stéphana se fane
Il n'en reste aucun fan
Son jour s'est profané
On lui offre un mocassin sain
Pour diluer à l'huile sa démence
La clémence étant inerte
   - Ferme-la
   - Je vais repartir
   - Boucle-la
   - Je suis partie
Le monde ne sourit plus

***

Jeu de pas

Petits étant aux billes jouant
Au pas nous allions
Grands nous serons
Au pas nous irons
Un pas par ici
Un pas par là
Mais, quand même un pas
Marcher au pas
Piller au pas
Danser au pas
Nous revenons toujours au pas
Papa fait des pas
Qui n'en fait pas ?
Rats ou tralala
Ne le nie pas
Le pas est là
Pourquoi ne pas en profiter ?
À cause d'un pas ?
Par peur du pas ?
Le pas mène vers l'avenir
Notre pays a besoin de faire un pas
Nous l'accueillons au pas
Le premier pas de nos enfants
Nous pouvons tous faire un pas
Grand ou petit
C'est un pas
Il n'y a pas plus grand pas que pas
Il n'y a pas plus petit pas que pas
Tous
Au pas nous avançons
Ou pas

Amie nue

Je l'ai connue
Cette femme
Elle était une fois
Presque nue
Oui, je l'ai vue
Amie nue
Il n'était pas encore minuit
Je ne rêvais pas
C'était elle
Au milieu d'une classe vierge
Je l'ai vue une seconde fois
Encore une fois
Presque nue
C'était sur la plage
Elle était là
Sourde à mes complaintes
Je l'ai vue
Presque chaque jour
Ces fois
Toute vêtue
Je l'ai vue
Presque chaque jour
Une fois nue
Et des fois ni nue ni vêtue

Mais, je l'ai vue
Cris que je l'ai vue !
Crois que je l'ai vue !
Joie que je l'ai vue !

***

Vue dans le noir

Accusez-moi de tous les maux
Mais, elle est revenue
Troublante et troublée
Troubler ma paix intérieure
Déjà fragilisée par le temps et le vent
Le noir lui sied à merveille
Et les regards innocents aussi
Moi qui me croyais maître
Le destin m'échappe
Dans un croisement d'un soir
L'anniversaire d'un ami
A-t-elle ressenti les mêmes choses ?
Point besoin de savoir
L'espace trop peu pour l'espoir
Juste la voir dans le noir
Cela suffirait à faire basculer les priorités
Sans a priori ce serait une autre soirée

***

N'as-tu pas voulu partir ?
Pars donc !
Quitte-moi !
Quittons-nous !
Puisque cela t'a plu
Plus d'amour, plus d'espoir
Tombe la pluie, tombe l'averse
Dis-moi !
Que tu m'aimais
Prédis
Aucun amour
Quand là-bas seras-tu ?
De ta bouche seras-tu
Mon nom ?
Qui trop plein de malheur
Ne peut plus honorer
Cette promesse vierge
De toute affinité
Quand me donneras-tu
Le baptême de feu ?
Ce tout premier baiser
Qui sera le dernier
Non pas demain peut-être
Mais, aujourd'hui quand même
Si diable tu ne veux
Tu seras prisonnière
De ces rêves qui me hantent
Ta douce image saine
Perdra de son innocence
De toi, ne garderais-je
Que souvenir néfaste

***

Tu savais que j'y tenais beaucoup
Mais tu l'exposas sur la place publique
En pointant du doigt son âme
Mon âme
Il ne reste plus rien
Un couteau dans mon dos
Un couteau jusqu'au cœur
Me le perçant
Du sang jaillit sur mes mains
Lasses d'attendre
Et ce fut tout un rêve
Une nuit s'est tue
Milles nuits se sont succédé
Mais cette nuit se perpétue
Le jour tarde à venir
Un avenir compromis
Un acte de générosité mal compris
Sans issue aucune surtout
Tu le fis et refis
Petite fille
Sans doute trop jeune
Tu me mentais
En songeant à ta seule gloire
Petit idiot que j'étais
Il était clair
Tu ne respectais pas
Cette promesse
Pas besoin d'en faire d'autres
Je n'y crois plus
Je l'avoue
Pas besoin d'être à nouveau déçu
Il est trop tard pour blâmer

Et trop tôt pour pleurer
Le mal est fait
Le sort ne peut être conjuré
Adieu la compagnie !
Accepte ma déchéance
Je suis mort et enterré

***

Le misérable

Nulle joie n'enchante son cœur
Et la détresse caresse ses yeux,
Fatigués de voir la misère
De ceux sans famille
De ceux sans amis
Comme lui
Mort-né, l'enfant est ici
Par miracle il vit
À perpétuité il crie
Mal nourri, il maigrit
Oubliant les bienfaits de la vie
Sans prix
Dans la rue le soleil luit
Sur son front enflammé
De vengeance de douleur de pitié
Accorde-lui la grâce miséricordieuse
Oh Dieu ! Là-haut habité
Comme eux
Qu'un jour le soleil se lève
Avec une lueur nouvelle
Qu'il entame un chant d'espérance
Avec une âme pleine d'aisance
L'enfant se dit chrétien

Il tient
Au bout de la journée
Il vagabonde dans la cité
Erre sous l'air ambiant
Cherchant dans les recoins
Où la vie fait coin

Sans jouer
Quand le soir à nouveau tombe
Ses épaules lasses de porter sa tête
Se recourbent pour former une tombe
Sur les durs parquets des châteaux-forts
Et c'est la nuit
Sans berceau
Mais, l'enfant ne dort pas ici
Il prie il dit
« Demain sera peut-être mieux
Grâce à Dieu
J'ai encore deux mains
Les deux »
Mais, ce demain n'arrive jamais
D'autres en ont trop peur
Et lui n'a qu'à espérer
Une nuit de plus
Une nuit de pleurs
Torpeur
Le lendemain pas de soleil
Il est caché par les nuages
Et le tonnerre gronde
Puis éclate une pluie
L'eau sur la ville et boue
Aussi
Une trop grande averse
Son lit en dérive
Debout une journée
Une sans soleil
Qui rit
Malgré tout malgré lui
Il fait sa route
Le cap fixé vers le néant
Les pieds titubant
Le corps flottant au vent
Puis s'arrête puis repart
Puis regarde puis rêvant

Mais l'enfant ne rêve pas long
Trop de bruit point de calme
Trop de fous de fourmis en activité
L'odeur de la mer jusqu'au nez
Un instant sur le port
Le tumulte des vagues déchainées
Il rompt sa marche
Il rebrousse chemin
Sur le quai plus d'hommes
Seul le bruit des vagues sonne
Le silence s'épanouit
Les dernières lampes s'apaisent
Un soir d'été sans étoiles
Même la lune se meut
Quand sur un banc assis
Faisant prière son cri
Il prie, il dit
Merci et se tue

***

Pardonne-moi ma rose
Mais il y a chose que je chéris plus
Pardonne-moi mon ange
Il y a un secret que je ne te dis
L'amour est un cadeau
Les dieux l'offrent aux hommes
Ils le partagent entre eux
Pardonne-moi mon second amour
Je ne suis pas comme les autres
Pardonne mon cœur frivole
Il a atterri sur une autre fleur
Tout en palpitant de sang frais
Attiré vers une haute liberté
C'est une vieille fleur
D'odeur changeante
Et parfois sans odeur
Elle est douce et amère
Elle aime tout le monde
Elle ne déçoit personne
Elle est Poésie
Elle seule m'appartient
D'une lumière fuligineuse
Elle m'éclaire dans les lieux sombres
Elle triomphe de tous
Femme ou homme
Elle m'a envoûté et ensorcelé
Je suis pris et perdu

***

Pitié à celui-ci

Je l'ai foudroyé mon amour
Dans un verre de whisky
Il me reste qu'à oublier ma mulâtresse
J'ai passé inlassablement ces heures
Mettant à défi mon amour
Je crie victoire prématurée
De mon cœur, j'ai peur
Si par impossible, il ressuscite
Pour l'éternité, je serai condamné
De ta robe blanche
Je garde souvenir de virginité
De tes baisers
Je n'ai aucun ressentiment
Je hais cette force qui me pousse encore
Cette force qui me dit
« Lève-toi et marche vers ta perte »
Je marche sans but, cherchant réconfort
De ce trou noir
Une joyeuse mélodie
Qui pour bercer mon âme
Le chant de la nuit
Cette nuit sombre d'où jaillit la lumière
Une lumière beaucoup plus lumineuse
Celle d'une nuit écarlate

D'une aurore nouvelle
Si un plus un ne faisait qu'un
Nos cœurs pourraient s'unir
Mais l'addition de nos sentiments
Cette force va-et-vient

Elle ne donne que l'amitié
Ainsi, mon champ magnétique
Faible par essence
Il se trouve dans l'inertie
Inapte partiellement
Souffrant d'une crise d'apoplexie verbale
J'abandonne la partie d'écrire
De décrire ce soir-là
Où le corbillard passe
Où un monde s'est tu
Où le silence fait fruit

***

Découverte

Je dis honneur à cette voix
Elle fait de ma vie ce qu'elle était
Je dis respect à cette âme
Elle apporta l'amour dans un enfantillage
Respect à cette chair que par providence j'ai goûté
Honneur à ce sourire :
Un nouvel anniversaire
Daignez l'enlever sur ta haute acropole
Remplie de ces déesses de beauté sacrée
Veuillez lui pardonner l'esprit jeune et passif !
Car, elle a la lumière et la sagesse en feu
Je te dédie tous mes vers
Pour toi, tous mes sueurs
Fais-moi la faveur de pénétrer le secret du miroir
Quitte à être plongé dans un sommeil
L'espace d'un temps
Revenir vivre l'éternité
Faire concurrence à la vierge Marie
Elle est la vierge sans virginité
La rose vierge par affinité

La grâce comme symbole
L'amour pour devise
Elle déambule dans une robe en cadence
La musique marie
Dieu se met à danser
Il la veut mais elle est mienne
Je suis jaloux
Il menace d'effacer mon histoire
Mais, il me donne le gain
Le gain de ma bien-aimée

Nostalgie

Des murailles
Rien d'autres que des forteresses ensorcelées
Le vent battait de l'aile sur la mer
Les vagues rougissaient de colère
Et leurs têtes inlassablement montaient
Elles voulaient arracher de ce morne horizon
Le cachet de ces barons-samedis
Créer un ciel de torpeur et de nostalgie
Où sont passés ces dimanches après-midis
La découverte d'un espace vierge
Et mes huit ans dans l'eau plongés ?
Jamais le passé ne reviendra
Crier aussi fort et espérer si peu
C'est comme enlever à la mer son sel
C'est comme enlever au poète son rêve
C'est comme enlever à l'homme son but
Nous devons pénétrer cet érotique sommeil
Où la plage délire une de ces musiques mystiques
Le silence de ces chants chante la mélodie joyeuse
Et mes oreilles trop sourdes pour l'entendre
Nos yeux dispersant les regards
Nous ne pouvons voir la vérité
Celle un jour qui fera naître la liberté
La liberté de créer son propre monde

***

À toi

Je te salue
Ô Femme muse !
Il faut conjuguer la femme au conditionnel
Mais toi, à l'image de ma mère tu appartiendras à tous les
temps
En les temps fugaces et méprisés
Je m'adresserai seul à toi
Je te propose mon calme mon silence et mon amitié
Garde-les bien fermés au fond de ton cœur
Le cœur brisé et reconstruit par la violence de la vie
Une violence qui n'est plus une
Car, ta beauté foudroyante vaincra le sort
Sort injuste et instable
Et pour que cela soit l'appui de l'artiste sera inévitable
Grand ou petit il y mettra sa force
Grâce à la clarté édictée par le cristal de tes yeux noirs
Sur les routes de l'ombre le silence fera d'un choc rejaillir la
lumière
Et calme étant tu continueras ton chemin
C'est alors ou encore tu te rappelleras que l'amitié
Un sentiment noble à égal pied que l'amour
Tôt ou tard tu en ressentiras les effets pervers

***

Ce fut sur ce soleil de plomb
Que ce rêve se rompt
Que ce jeu s'interrompt
Que cet espoir se fond
Chose due, temps perdu
L'écrit sourd qui se tait
Les cris durs
Elle se fit rose
Cette fois d'aujourd'hui
Qui dure un soir
Ou plus une nuit
D'un regard, elle se dresse
D'un sourire ses tresses
Plus de détresse
Une beauté écarlate
Sous le ciel troué d'astres
Au jour s'ouvre déjà
Un long dimanche
Et sous le pâle rose
Les deux manches noires
M'échappant et la nuit

***

Je croyais qu'elle portait en elle la flamme sincère de l'innocence ; qu'elle me pardonne ! Perdue à travers les âges de sa vie. Je délirais dans mon rêve désirant lui appartenir le temps d'un plaisir ou sinon le plaisir d'un temps assouvir ma soif de pécher.

Lancé en avant par le souffle impétueux de la nuit, je pensais l'amener et l'entraîner de sa jupe noire vers un sacrilège. Désespérément je lançais mes yeux avides d'émotions à l'assaut de ce château-fort insurmontable. J'éclaboussais une à une les chaînes m'enfermant dans ma détresse seule pour arriver au sommet de ce rêve m'empêchant de dormir.

Je tiens vainement l'espoir d'y croire.

***

Ne me parlez plus d'elle
Elle s'est envolée
Oubliée, effacée
Il n'en reste rien d'elle
Que du beau le très peu
Elle venait pourtant
Mais volée, elle n'est plus à moi qui voulais
Un tout très petit peu
-La triste solitude-
Femme nue, femme seule
Ses lèvres bien trop sèches
Appellent aux secours
Cours !
Le monde l'attend
La barrière de la honte
Cruel sort ou justice ?
Non ce n'est que vengeance
À elle seulement
Une joie de refus
Confuse elle mourra
Dans une solitude
Peut-être pas du tout
Mais d'une solitude
Que jadis mal vécue

***

Et que s'est-il passé
Et tout à coup un espoir dissout
Combien de temps faut-il ?
Un rêve ?
Non, un haut rêve
Dans une nuit profonde
Un rêve grand
Grand devant l'éternel
Adieu la petitesse
Adieu la tristesse
Je reste seul
Dans ce pays mien
Où il fera bon de vivre
Un jour peut-être ?
Mais quand cesserez-vous ?
Feux assassins
D'une mitrailleuse vieille
De deux siècles au moins
Demain ?
L'espoir ne tuera pas
Mourons d'espoir tous vêtus

***

La Vérité

Poète
Garde à vous, gare à vous
J'arrive je viens de loin
Je résonne, tu frissonnes
On m'invoque sous plusieurs toits
Je te choisis ce soir
Prends ta plume d'or debout couché
Donne-moi corps
Crée un poème à mon image
Mon image de silence-feu
Feu de la création silence de la mort
Fais pleuvoir tes sueurs
Donne-moi corps
Oui, dans la nuit rougeâtre
Un sourire à moi, au monde
Je te fais à présent ce présent
Profites-en je suis en toi je suis à toi
Capte-moi
Donne-moi ton corps
Accouche-moi sang avec douleur
Rapidité de toute lenteur de kangourou
Lion agonisant droit d'un quart
Fixation changement de repère
Délire solennel raisonnement carnavalesque
Lyrisme nouveau accroché au luth de Lamartine
Vagin en érection dans la bouche d'un pénis scintillant
Mort moribonde du jour par l'assaut à sceau
Sot de la nuit
L'alliance du fils du Nil au nul Bouki
Carte déchirée des fragments qui en restent

Femme vomissure femme maudite femme maman
De la mémoire blessure mémoire oubli mémoire tragique
Les gouttelettes d'eau formant un prisme permettant l'arc-en-
ciel
Sans pour autant la permission du Soleil
Soleil levant pour coucher la lune
Débattant son cœur déployé comme les pétales épinières
De la moelle rose de sons du soir
Appelant son corollaire ami mari le silence morne

Je prends ton corps
Nous parviendrons à vivre sur le cric crac
De nous deux surgira la vérité...

***

Nuit

La honte sur mes épaules lasses
La détresse de mes yeux en pleurs
Le roucoulement du rhum dans mon sang
Cette nuit ma tristesse
Le mystère de la sombre nuit
Les bruits perturbateurs
Voilà la vie celle d'une nuit
Une nuit sans toi
Une avec elle sans aise
Qui es donc tu ?
Je croyais en l'amitié
L'amour sacrifié
Mais ma sœur notre sœur
Notre pluie d'espoir
Elle l'a noyé
Je me souviendrai
De quoi ?
Cette enchanteresse voix prenant le dos
Ce vrai visage étincelant
Ma Salomé éternelle
Rayonnement sur les ailes de flamme
Si tel est notre destin

Le ciel en sourira

***

Jalousie

Feu de la vie assassin
Très peu de courtoisie
Cette voix se fit entendre
Dans la broussaille de la claire lune
Où le soir ne s'accommode plus
À jour, la froide tyrannie
Le rêve de l'après-midi
Un ami
Qui venant l'emporte dans son envol
Et la porte dans l'oubli d'un autre
Rêvasserie d'éphémère durée
Lui, criant sa perte
Le désastre du roucoulement du tambour
Souffle la brise du désespoir
Raccorder les pièces du puzzle
Cris de tonnerre, cris de rabordage
Mes amis !
Loin de moi partis

À la destruction du char
Ma chair où le sang palpitant
À l'assaut du silence
Une promesse interrompue

***

Déception

Je croyais trouver
La clef du monde
Mais, je ne fais que chercher
Illusions qui appellent la nuit
Trop plein de rancœur dans les recoins
Je voulus trouver
La clef du monde
Mais à force de chercher
Une porte entr'ouverte qui s'est éclose
La peur du lendemain sur les mains

***

Le sommeil

Sur un lit monté d'herbes
En face d'une mer chrétienne
Elle se trouva
Pleurant son sort de femme seule
Femme compréhensible mais non comprise
L'odeur du clairin ne lui faisait plus rêver
Et le sal con incongru faisait rougir le ciel
Soudain le tambour se mit au diapason
La noce d'or de la clarinette et de la contrebasse trompette
Le Mi Si Sol Ré La Mi de la guitare faisait le premier accord
Elle se mit enfin qu'au dernier coup de lambi à danser
Une danse peu connue
Au rythme du rabòday
Les bras autour du corps féminin accordé au masculin
La tête en l'air en bas
Les yeux rivés à gauche à droite
Les lèvres appelant à un ultime solennel baiser
Le rythme changea, la danse poursuit
Les musiciens se turent la musique résonna plus fort
Et encore plus fort
Que même la houle des mers entrainée par le mouvement
incestueux des vagues
Déracinant sur leur passage le mapou céleste
Enfin
Elle se réveilla et m'embrassa dans ses bras affamés

***

Secret Creux

Ce sont ces craies
Un secret
Du doigt les palpant
De ses yeux les fixant
Avec peine, il les donne
Mais jamais ne pardonne
De toutes couleurs
Il retenait l'odeur
Il pouvait plein en rendre
Il préfère les prendre
Dans sa main, il les serre
Sa valise son cachet
Sa tête n'oubliant
Pas une seule miette

***

Il a cru voir pointer la liberté
Du doigt de ces audaces cieux
Elle était venue à lui
Lui n'a su l'épouser
Repartie elle luit
De ces milles feux rouges
Là-bas à l'horizon
La distance grandit
L'espoir se tue
Le rêve s'est mû
Sa bouche !
Voyage perpétuel
Dans la barque de la rive
Sur une mer insoumise
La vue s'estompe
Le bruit s'interrompt
Seule navigue l'âme
Dans sa douce senteur d'été
De feux et de blé

***

L'Angélus

Clair il ne l'est pas, le crépuscule du jour.

Un jour sans fin, il va vers le désastre du néant. Il affirme l'échec du verbe, le verbe faire qui trahit un à un tous les mouvements du temps.

Une altération s'est produite, des changements étaient observés et le monde qui s'est clos se tue. Que donc espérez-vous ? De la crème douce de caramel, du bonbon au chocolat ou de la mielleuse parole d'une berceuse jadis ?

Non, vous n'aurez rien, même pas des mots, des mots voulant dire la chose. Plus n'est le temps à manger les mots, le jour est nouveau, et nouveau chaque jour venant vers nous.

L'ombre de la soirée s'est endormie sous l'arbre à palabre. Il s'est dit plus lourd le silence d'un doux zéphyr de caresse chatoyante. L'eau claire du bassin du soir cache mal sa profondeur, le soleil étant rêvasserie- bavardage solitaire d'un promeneur.

Une nuit inaltérable vient de se mouvoir dans sa plénitude de lune. Les vacants jours ayant pour incipit l'aurore ultraviolette sont destinés à être accouchés les deux pieds devant, les yeux bien fermés et l'âme aussi froide que le marbre.

Le cycle doit être perpétuel et peu à peu dans la vallée de l'ombre arrive l'éclaircissement très peu inattendu.

***

Pardon

Je n'aurais pas dû enlever à la vierge
Ce qui lui était le plus cher
Ô vierge Marie Rose
Roses ne seront plus tes fleurs
Vertes ne resteront plus tes feuilles
L'arbre de l'amour a failli
Le petit bonhomme ne pourra plus pénétrer
Là où il puisait sa force
La source n'a pas séché
Mais, l'eau stagnante dans ses bassins
C'est la mort avant la mort de ce détroit accolé
Il se renferme sur lui-même
La plus douce caresse ne pourra le mettre en éruption
Une éruption de ces flammes limpides et visqueuses
Celles-ci bordèrent l'allée sombre d'un pré
Le silence de la bande ne lui fera plus trompeter
La joie sera sans aucun effet d'accumulation ni d'éjaculation
Aloysius et Poléus ne seront plus à l'ordre du temps
Tempêtes et vents ne pourront faire bouger ses hanches d'un cran
L'écran enfoui au plus profond de la nuit rouillée par la pluie

Le sang perdu ne pouvant être retrouvé par appui
L'aurore chassant à la poursuite de l'aube
Sensations fortes inédites
La musique ne pointant plus d'un doigt la chaleur dégagée
Ses sens inversant le sens du courant
Le brillant soleil par effet joule

**

Respire

Adieu à ces rudes journées
Quand le soleil une fois levé
Nous voilà déjà emportés
Vers ces cieux non de paradis
Plus de gueuloir dans les couloirs
Plus d'une quinzaine d'entrées
Les murs de cet édifice
Féroce mais passionnant
Lieu absent des valeurs
Prônées du moins
Théoriquement creux
Mais, plein d'ardeur déroutante
Etonnant passage de la vie
Ma foi !
Toute ébranlée
Le déboisement du souvenir
Tout me manque jusqu'au manque
Une journée de pluie
D'éclair ou de tonnerre
Rien n'y fait on y va
Gambadant la poussière
Sur nos pas enflammés
Entend craquer les pierres
Sur notre poids pesant
Ô ! La lourde valise
Depuis longtemps portée
Notre chétive adolescence
Croissance endommagée
Mais, une attente peu vaine
Des lendemains qui chantent

Mixage

Hommes en transe
Femmes qui dansent
L'ambiance carnavalesque, une fête de saint Valentin
Musique en rythme
Chocolats et rires
Les sens festivals, les amoureux s'aiment
Ils sèment les graines du rêve
Vers ce jour qui n'est pas d'aujourd'hui
L'espoir qui tue
Ou meut
Un procès-verbal est dû
Une foule en crue
Les lois foulées
Une année de perdu
Une élection ternaire
Entre Amour Carnaval et Espoir
Le second tour est attendu

***

Être chez soi
Et se sentir mal
Rien ne va plus
Une crise existentielle
Pour une fois
Pas de bruit
Autre le vent
Porteur de poussière
L'eau coule
Dans la rue sombre
Nos yeux de source
D'où jaillit la lumière
Rougissent de peur
Les enfants dorment
Leur après-midi
En pensant
La belle négresse
Mère de famille
À l'avenir incertain

***

Vacances éternelles

Elle est sans doute hantée de cette trahison
De douces entrailles à l'âme du cœur
Dépossédée d'elle-même prise en folie
Elle dort hormis ces beaux jours d'or et d'espoir
Ceux qui se défilent lors des vacances d'hier
Ces jours sans fin ni tête, auréolant de jasmin
Les vacances finies,
Voilà là ! Excitée
Dans son profond silence où ses lèvres se cachent
Du vent de ces baisers de ces vagabonds rôdant
Dans un de ses sourires extraordinaires
Un sourire mal vu dû à l'éclat des dents
Ses dents d'ivoire rare et sans précédent
Telle rêvasserie terrasse tel chemin

**

Ces baisers me sont familiers
Pas une nuit je n'en ai donnés
À cette gracieuse divinité
De son corps nu
Pas une seule partie
Etrangère à moi n'est
Mes sommeils ne sont pas sans rêves
Et l'éveil un coup dur
Un coup d'état à mon rêve
Un coup de barre à mon fol espoir
La haute trahison !
Ces baisers me sont vrais
D'elle, je les ai lancés près
Si près s'en échapper
Elle ne le peut que guère

***

À demain

Le jour se lève sur la colline
Là-bas sous les regards fiancés des jeunes enfants
À l'est le matin, ses rayons nous parviennent
Par l'ouest sa douce chaleur nous quitte
À demain un autre jour !
Mais quand arrivera-t-il, demain ?
Demain n'est ce jour né mort ?
À peine éclose la fleur du demain se fane
Et de là sortira le fruit d'aujourd'hui
Les hommes espérant un autre demain
Le poète le sculptant du doigt
À jamais ils le guettent
Et jamais ils ne l'ont apprivoisé
Cet animal rebelle sans scrupule,
Nous arrache le temps
Il le nous vole de ses aires et heures abstraites
De ses intrépides yeux
Il nous trompe
Nous fascine et nous rejette
Par-dessus tout on l'aime demain
Si fort et sans avoir si ce n'est un de bon
Car de la mort, nous avons peur

***

Sous le voile de ses uniformes
Dormaient ses hanches
Et sur son visage
Défile la candeur fraîche de son iris
Docilement me dévorait son regard
Mais de loin étant
Se faisait entendre son souffle
Dont la chaleur de l'air expiré
À la fraîcheur du jour se mêla
Tiède humidité des sens

Sortie de ses cendres ennoblis
Là où n'osait aller nul
Partout où iront tous
Au-delà de tous mirages
Au miroir elle se mirait

***

Rêve

Rêve intense
La sensation forte
La douce musique du soir
C'est 18 ans
Mes 18 ans
Elles avaient coulé comme de l'eau
Les années
Ils ont traversé le rivage
Les jours
Si seulement il est possible
Le retour à l'ordre du jour
Le retour au premier jour
Celui qui a vu naître le poète
Le sang a perdu
Les pleurs aussi
Ma mère en fut malade
Avec sa robe de paysanne
Sur un petit lit
Elle râlait
Je suis né de la dernière douleur
De la dernière pluie
Cette pluie d'espoir
Elle sèmera l'eau

L'eau de vie
Bien haut la liberté
La soif de l'amitié
C'est une quête inépuisable
L'amour atteint dans un enfantillage

***

Cas doré

Dois-je dire merci
Ou ce crayon m'est dû ?
Tant pis !
Merci n'est dû
Tant mieux !
Croira-t-on peu
De couleur violacée
Son allure élégante
Sa tête blanche gomme
Sa pointe effilée file
Tout lui sied à merveille
C'est bien de l'art du rose
Un produit du Rose Art
Lui venu avec elle
De ce pays de rêve
Où les venues ne dorment
Lumière ne s'éteint
Telle sa chair donatrice
Emouvante et mouvante
Ma main descend sur lui
La caresse sur lui
Le désir à expier
Triste sort de bouffon
Mais mission possible
Sans le leurre des mots
Un cadeau non pas d'or
Mais un cas adoré
Venant d'elle mon or

***

Triste solitude d'une nuit froide
Pareil à Toussaint au Fort de Joux
Du fond de mon oreiller
Je rêvais les yeux entr'ouverts
Mon âme vagabondait
Tel cet oiseau enfermé décaissé
Je pris le chemin de l'Est
Et ce fut mon pays
Tout misérable et mystérieux
Un souvenir d'enfance
L'école de chaque matinée
Les pas titubant
L'esprit allègre
Une journée amicale dans le vert

***

Grève rêve crève-cœur

Il ne fallait pas plus
Pas plus qu'une seconde
Et la mort surgit
Quand un instant les dos tournés
Il fallut que mon père sorte
Car tu aurais à le vaincre d'abord
Mort ineffable !
Tu n'attendis pas l'informaticien
Notre frère, inventer l'antivirus anti cardiaque
Tu savais bien que le cousin présent
Sa courtoisie t'aurait fait oublier ta proie
Et l'autre frère...
De ses dons naturels de séduction
Tu tomberais sous les charmes
Que tu fusses homme ou femme
Et puis encore
Un autre frère ingénieur
Son premier électrochoc serait inventé
Des frères et des sœurs
Celle de là-bas
Avec ses grands yeux et le cœur
Celle d'ici-bas
Avec son envie de réussir
Aussi la cuisinière
Tous ensemble te quitteraient l'appétit
Et puis encore
Les fils adoptifs et les petits-fils
Celui qui aurait tout donné
Sa position et son titre
Ceux de leur rire et de leurs yeux

Amoindriraient ta cupidité
Sans oublier les voisins
Ou encore les policiers
Ils ne purent arrêter cet arrêt cardiaque
Même sous l'ordre du frère inspecteur
Qui ne le fut que carnavalesquement
Et puis encore le dernier aspirant poète
Le médecin futur
Comme désireux
S'il avait inventé son propre implant
Même une piqûre aurait fait
À la suite d'une respiration artificielle
Mixée à son massage cardiaque

Mais tout ceci n'est qu'imaginaire
Nous ne fûmes pas prêts
Et c'est fait
Point de séchoir pour nos larmes
Mais un rêve menu d'espoir

***

Sentant le temps

Vous les amis
Je ne vous oublierai jamais
Trop vous m'avez marqué
Quand les matins
D'allégresse seront
Et mes après-midis sans fin
Vos noms sur ma bouche
Rappelleront ces moments
Un temps passé
Qui nous guide
Qui nous manque
Ce fut de ce temps-là
Dont je veux parler
Où nos rêves d'adolescents
Au sang rouge se mélangent
Nous cœurs palpitant d'espoir

Temps révolu
Nous n'écoutons que le vent
Chanter les anciennes notes
De cette vieille chorale
Qui ne fut de la cathédrale...
La grande averse d'eau
Rouille nos cœurs frivoles
Et nos quêtes s'estompent
Point de requêtes
Seulement des roquettes
D'eux sur nous
Que nous fûmes mauvais ou bons
Peu besoin d'en savoir

Nous fûmes ce que nous étions
Des inséparables amis
Dans le temps !

Volons d'un temps à un autre
Prêtons à la colombe ses ailes
Pour y retourner
La recourber
Nous n'aurions souffert autant
Du manque de nos proches
Nous nous réveillerions chez nous
Non pas chez l'hôte
Qui nous guette
Et les autres amis
Qui ont trop de temps
N'aurions assez d'argent
Pour se payer le luxe
De rien faire durant
Une année sombre
Les cents pas dans l'allée

***

Lune cachée par les nuages
Lune de pale lueur
Sur une terre étrangère
Fais-nous don du rêve ce soir
Et nos sommeils
Une cour basse de bruits
Que ceux de la douce musique
Ou d'une pluie rustique
D'une journée entière
Ainsi sera-t-il
Selon nos vœux de cœur

***

Cadeau de Noël

Comme l'enfant anxieux
De son cadeau caché
Il brûle l'envie
À dix kilomètres
Son souffle ininterrompu
Son petit frère
L'accompagnant de main
Forte la dernière goutte
La vase déversée
Sur son cœur nostalgique
Qui prie et rit
La folie à courte portée
Le désir de passer
Quelques heures déjà
À la regarder
Petit cadeau
Que le père conçoit
Mais trop lourd
Pour sa traine
La reine ne veut d'aide
Pour remonter le temps
Où tout fut qu'ordre
Dans son sommeil
De peur de la réveiller
Ce doux diable
Cousu sous sa peau
D'ange solitaire
Trop jeune
Pour faire don
Du pardon

Il rêve Noël
Avec des ailes
Pour elle

***

Jour des Mères

Comment oublier ton sourire
Quand en ce jour
Tu recevrais nos cadeaux ?
Un petit mais beau
T'aurait suffi
Un rien, un gâteau
Etaient toujours bienvenue
Comment ne pas rappeler
Que ce dimanche-là
Vêtue de rose, serais-tu ?
Même les gens de là-bas
Te feraient signe
Mais, tu n'es plus
En tout cas reçois
Ces quelques vers
D'un cœur sans grand aise
Ces folles paroles
De ton enfant chéri
L'eau de médium servirait
Que la fraîche bière m'enivre
Me transporte vers toi
Au-delà de mes maux
Pour te dire
Bonne fête des Mères
Pour te faire savoir
Que mon amour jamais s'atténuera
Ton jour sera toujours

***

70

Les jours passaient
Coule le temps
Je sens l'approche de ma venue
Le retour au pays natal
Déjà trop longtemps
Je ne peux supporter l'odeur de cette terre
Si proche de la mienne mais non mienne

***

Un coucher de soleil
Des plages ensoleillées
Le sable doré
La chaleur de l'été
Tout fut été
Comme désiré
Sauf toi

Tu n'étais pas
Là, auprès de moi
Loin de sa couche
Cette terre qui bouge
Des soirées encore dansantes
Sur des airs rustiques
De vagabondage carnavalesque

Le rêve se rompt
Les os avec
Le cauchemar naissant
Une montée de la houle
Fracassant sur mon visage
Où mes lèvres
Sur ton nom se taisent

***

La nuit passa
Sous les sourires et les rires
Une fête sans grand aise
Une fête gigantesque
Elle fut faite
C'est un fait
Un anniversaire !
Un an de plus
Sur cette terre ardente
Et ce fut déjà vingt ans
Qu'il accomplit en dominicanie
On dansait ce soir
Du rythme au mystique
De la salsa au compas
Puis vient la lassitude
Du clairin sur nos lèvres
Le son de la musique
Au loin se fit entendre
C'était le saxophone
Un piano du slow
Qui plaignait
Et ce fut une lutte
La lutte contre le sommeil
Puis...
Un rêve

***

Elle n'est pas si belle
Mes yeux l'ont vue clair
Sa voix pas si douce
Qu'elle se laisse entendre
Sa démarche
En rupture s'exile
Vers les côtes rocheuses
De la ville ancienne
Première du continent
Tout comme ses lèvres
De feu m'invitant
Aux péchés
Les plus capitaux
La langue cornue
De vipère à l'assaut de proie
De sang
En attente du coup fatal
Son arme mortelle
Sa main sur ma peau
Une petite caresse
Son indifférence

**

La maison en croix
Sur la colline montée
Les voyageurs la virent
De leur longue vue
Les chantiers battus
Les palmes en fleur
Au long de la terrasse
En chemin étant
Des airs chantant
En dansant marchent
Enchantés les enfants
La mer titubant de sa grossesse
Sur le mari s'appuie
Route firent ensemble
Vers là-bas
Le pas très lointain
Des beaux-parents
Pour ce nouvel an
Grands sont les désirs
De n'être pas peut-être volcan
Mais qu'il naisse
L'amour hérité de la famille
Le fils prodige
Le dernier déjà prêt à venir
Illuminer les ombres restantes
D'une année de fatigue

***

Arrive Noël
Avec sa furie
Et ses longues pluies
Et les rivières en crue
Les maisons hantées d'eau
Les enfants sur les toits
Point de lits non mouillés
De serviettes séchées
Tout comme leurs yeux
De douleurs et de pleurs
Perte du peu de bonheur
Des terres trop proches des fleuves

**

Adieu la compagnie
Mes bons compagnons
Nous fîmes routes ensemble
A ce carrefour-ci
Nous nous séparons
Mettez les pantalons à vos tailles
De grandes batailles nous attendent
Des pluies acides
Des pluies de pleurs
En ces pays lointains
Où la chaleur n'est plus chaleur
Ou trop chaude
Quand la fatigue s'abat
Sur nos fronts
Que répondent nos cœurs
Toujours prompts à aimer
L'espoir d'un retour
A l'âge perdu
La force de notre amitié
Ce silence qui vient
Puis qui va
Comme le cycle de l'eau
Au pied de la montagne
Nous nous retrouverons

***

Les vacances ?

On les sent
Venir de loin
Plus d'une semaine
À supporter sur le dos
La fatigue de nos yeux
Ne se fermant jamais
Ou qu'un instant
Celui d'un battement de paupières
L'autre entr'ouvert
Guette la voix du professeur
Trop ivre pour écouter
Nos lèvres chanter le vent
Un après-midi sans charme
Comme celui du mal-aimé
Dans les bras creux
De la voisine de notre mère

***

Il n'y a jamais 2 sans 3
Et les trois sont toujours fatals
Le premier est un bon coup
Le second un faux ou un grand
Mais les troisièmes sont beaucoup
Déjà trop plein d'habitudes
Dans le tréfonds des attitudes
Un cercle vicieux
Sur la routine se forme
Le jeu du hasard
Sonne l'heure de la rupture
Point de coutumes fétiches
Qui bernent serrent
La bouche remplie de salive
Blanche de faim
Rouge de chaleur
Assez de cœurs écœurés
Sur l'air encore rustique
D'un fleuve mort long
Surmonté d'un pont
Les âmes qui passent
La fumée noire qui reste
Comme la dernière restera
Des trois fois qu'elle passera

***

Dieu pleure de douleur
De douleur et de honte
Lorsque sur cette terre vit
L'ombre de la misère
Une nuit sans souper
Un soir sans rêve
Un lit de cauchemar
Lorsque de ce monde dit
La puanteur des baisers
La rougeur des fessées
Une rivière en crue
De sang
Sur la face des cathédrales brille
L'horloge vieille du temps passé
Les douze coups de minuit
De midi peut-être
Mais doux sons
Chansons d'enfance
Crie et dit
Recrie et redit
Le désenchantement reste
L'espace se croît
Point de coups
Le silence vint

***

C'est reparti

Elle est revenue
À nouveau la fête
Sur nos têtes
Là-bas
Elle veut mots me dire
Des bons des vieux
Moments du temps passé
Je compte
Des rires et le vent
De la plage encore vierge
Remplie de désirs
Elle m'apparait
Comme pour la première fois
Depuis longtemps
Adieu la modestie
Et les cris
Plus de honte
Que la joie soit
De nouveau
À toutes occasions
Sur les fronts
Autant dans nos cœurs
Nos mains jointes
Non pour prier
Mais demander
L'exil frivole
De la solitude
Ailleurs !
Que sous nos yeux
De retour de la Déesse

***

Le vent ne souffle plus
Que le bruit persiste
Dans un sentiment de trahison
Le ronronnement d'un cœur
Etre assis dans une vague d'incertitude
Une solitude même dans la foule
Cherchant dans les yeux un réconfort

***

Il est vrai
Plus que moi
Tu méritais
Pauvre enfant
De la pluie
Telle beauté éclose
Des yeux entr'ouverts
Tu n'as qu'à l'imaginer
Lui parler
Partager son souffle
C'était déjà trop
Une promenade
Un tête-à-tête
Beaucoup trop
Et puis encore
Les rêves
Ceux troublant ton sommeil
Ne t'appartiennent plus
Le ciel
Par une prière ivre
La joie te quittera
Les beaux jours s'en vont
Loin des yeux
Loin du cœur

***

Petit Frère

Petit Frère à nouveau
Tu viens couler dans mon sang
Trop de jours peu éclos
Sur ton absence se lèvent
Les gémissements ivres
D'une nuit étoilée
Déjà l'odeur de la fête
Noël est prêt
Pour faire rouler
Même les plus grands
Ceux de longs tonneaux
Ne peuvent plus jouer
Avec toi
Car tu es
Désormais, source de vie
À l'amour
Quant à la rêvasserie
La soif inextinguible
Tu es clair
Et on te boit

Au bord du fleuve
De commerce
De souvenirs
Voler pas trop haut
Ce n'est pas beau
Pas d'extase
Un petit sot au final
Voler haut
Comme Icare au soleil

Trop chaud
Dans l'eau
Au-dessous tombera
Une forte chute
Nous ne sommes oiseaux
Nous ne voulons pas être insectes
...

***

L'image montre Bob
Aux cheveux de vieux lion
Avec qui il partage les tresses
Son visage penseur et plus
Un rêveur vieilli trop vite
Comme l'animal en chasse
Il épouse l'odeur de la terre
En attendant sa proie son public
Ecoutant le vent des notes futures
Puis surgit sur la scène
Ci-gît le silence
La joie féroce dévorant
Jusqu'aux zèbres mutant
Car de l'herbe en fumée
Toute sa tête truffée
Affolé par les sons singuliers
Sa danse de toujours
Le ramène vers les cieux
D'où il doit provenir
Point de mécontents
Même les gibiers
Payant le prix fort
Avec leur sang de patience
Froidement l'attente
Guère vaine sans doute

***

Drôle de sensation
Nouvelle dans l'art
Un apanage sans égal
De vrais délices
Une fête ininterrompue
Des heures d'affilée
De poursuite au bonheur
Au-delà des sens
Sans oublier ce legs
Un héritage sacré
Que la reine bénit
D'un dérèglement
Une permission première
De l'extase interdite
Au bout une dernière cène
Avant le voyage
Vers le Sud de l'Afrique
Tout lui fut accordé
Il nous a tout laissé
Une musique
Un rêve
C'est le roi
Cela va de soi

***

Tu étais une marque de classe
Mais maintenant...
Qu'une trace de masse
Partout on te croise
Sur la ruée des pavés
Au bord de la grande rue
On te chasse encore
L'aube venant au soir
Le persécuter
De ta courte jupe
Le souvenir néfaste
Fait ombre
À l'amour jadis
Senti si fort
Le présent cède le pas
La négation de la volonté
De poursuivre l'illusion
Du rêve
Le changer
En liberté
Elle se croit autre
Sexe permuté
L'évolution accélérée

***

Tu étais si près
Que j'ai cru c'était vrai
À quelques heures déjà
Tu es parti là-bas
Avec la clé de nos souvenirs
Le paradis perdu
Seule reste la pluie
-Et la nuit le rêve -
Pour oublier
Que j'ai cru
Que j'ai dû choisir
Autre destin
Le vent souffle plus
La rage d'eau
Des yeux assoiffés
Perdant trop de larmes
Le front de sueurs
Manquant son envol
Vers les cieux opaques
Rigide lenteur des mots
Trop peu ivres
Pour traduire
L'ivresse de sentiments
Se fit corps
Or les dieux nous sont contés
Et le temps compté
Contre la fureur rustique
Donnée au feu brûlant
La terre s'agenouille
Pour trouver un abri
Aux âmes vagabondes

***

C'était quand la dernière fois ?
La dernière fois qu'on fit l'amour
La dernière fois qu'on vit le jour
C'était toute une première
Où le jour et la nuit se mêlent
Sur terre sur deux pieds
Ils se tinrent
Pour taire les bouches
Traire le lait virtuel
Des seins chauds encore
Donnant tout leur accord
A une fête
Tête en l'air
La queue se perdit
Dans l'oubli d'un instant
Puis reprit dans le cri
Un moment pour dire
Qu'on s'aime
Le temps sème
Les grains de haine
Qui ramènent la perte
D'une charge gastrique
Le sang vidé de force
Atroce douceur de la fin
Les veines ont faim
Autres coups d'essai
Autres coups de grâce

***

On n'a pas toujours une réputation
À garder bonne
Surtout quand le temps manque
À nos rêves trop courts
Une inconnue qui vient
Chaque soir
Son visage dans le noir
Mais sa peau si vraie et douce
Se glisse le long de mon corps
Et encore
Elle est peut-être noire
Se confondant dans le décor
Or ses yeux lancent l'assaut
Vers les miens entr'ouverts
Mon souffle mis à mort
Par des mains enchanteresses
Cette nuit
Presque toutes les nuits
Elle pose le siège
Pendant mon sommeil lourd
Lent de tendresse
L'élan tour à tour
Vers les rives
Du réveil lointain
La bouscule mais revient
Son odeur de femme belle
Telle la fleur d'été

***

À une écoute de cette vague de rage
Il m'est venu la folle idée d'asseoir mon âge
Déjà trop vieux ou trop jeune pour cet enfantillage
Je vais vous révéler le long d'un témoignage
La découverte d'un nouveau style de phrase
Que le poète porte au cœur pendant une phase

C'était au cours de la première année de fac
Ça fait déjà deux ans que j'ai passé le bac
Entre amis on s'échangeait les baladeurs
On n'était pourtant pas tous des crackers
Quand soudain je suis tombé sur ce grand corps
Il était malade et faisait bien les accords
Peut-être même révolutionnaire de l'art
Il porte le flambeau vif de l'écart comme Icare
L'envie subite me prend de faire pareil
Mais comment égaler de telles merveilles
Sans doute en essayant à partir du néant
C'est sous une ampoule de néon en riant
Jusqu'au soleil levant je ne peux accoucher
Ce slam tant à mes pensées accrochées
Et après neuf jours de grossesse précoce
Une crise sur ma tranchée artère
C'est la tranchée de la parole hors-pair
Tout à coup viennent les mots de la délivrance féroce

***

Je n'oublierai jamais
Ces mains
Elles m'ont touché
Au lever du jour
Jusqu'au soir venant
Leur caresse sur ma peau
Et même dans ma nuit
La douceur poursuit
Celles de la belle
S'estompent encore
Elles sont parties
Celles de la voisine
Dans mes cheveux crépus
Heurtent un pou
Vieilli sous un sacrifice
Une cicatrice
Puis la gauche
Puis la droite
Tour à tour
Descend et remonte
Le flanc de mes côtes
Un jet d'eau de mes yeux
Jette le regard dernier
Ils se ferment
Mais persistent les couleurs
Des étrangères de là-bas
Je mangeais à leurs doigts
Les sensibles articulations
Dans la paume
Revenu à la maison
Je m'efforce
De retrouver celles

Dont les noms m'échappent
Dont les âmes sur moi
Comme un fardeau
Dans un chemin de croix
Se croisent
Alors elle apparait
Comme le graal
Aux chevaliers d'autrefois
Cette main inconnue
Ou plutôt
Ces mains inconnues
Elles étaient deux
Ou plus
Une multitude de mains
Qui coupent mon souffle
Mais qui me donnent vie
Je les connais maintenant
Pas assez
Pour prédire leur assaut
En groupe ou seule
La main me frappe
Vient se poser
Dans les miennes
Et c'est demain

**

Table des matières

Imprimé en Allemagne
Achevé d'imprimer en mai 2022
Dépôt légal : mai 2022

Pour

Éditions Milot
17, rue du Pressoir
95400 Villiers-Le-Bel

CPSIA information can be obtained
at www.ICGtesting.com
Printed in the USA
LVHW082100210522
719277LV00009B/403

9 782493 420091